THE BOOSEY & HAWKES MASTERWORKS LIBRARY

SERGE RACHMANINOFF

SYMPHONY NO. 2

Op. 27

Full orchestral score

BOOSEY & HAWKES

London · New York · Berlin · Sydney

Contents

Serge Rachmaninoff, photograph from the Boosey & Hawkes collection

Preface

Rachmaninoff may have begun work on his Second Symphony as early as 1902, but only in 1906-7, while living in Dresden, did Rachmaninoff draft the work in full. The orchestration was completed only just before he conducted the première, in St Petersburg, on 26 January 1908. The new symphony, dedicated to his teacher Taneyev, was a gratifying success with audiences and critics alike.

The Second Symphony's full-blooded passion, both lyrical in expression and epic in scale, has long made it one of Rachmaninoff's most popular works. The long, warmly-harmonized melodies are opulent but not cloying; the symphony's displays of passion are offset by dynamic rhythms which give them tension and urgency. The work is long, lasting about an hour, and under protest Rachmaninoff sanctioned many cuts in his score, which were perpetuated in performance well into the 1960s. Nowadays, however, audiences are more accustomed to the time-scale of Mahler and Bruckner, and hear Rachmaninoff's symphony complete.

Like his other symphonies, No. 2 opens with a motto-theme which gives rise to most of the principal ideas of the work. Relationship between the movements is largely achieved by the similarity of contour which many of the important themes share. They seem to relate to the ancient chant of the *Dies irae*, a melody that haunted Rachmaninoff throughout his life but which he seldom used so subtly. After its brooding slow introduction, the huge first movement evolves as a sonata-form *Allegro*. Particular prominence is given to its romantic second subject – Rachmaninoff omits it from the development section but massively extends it during the recapitulation. The vigorous second movement contains the most varied and resourceful orchestration in the symphony and a notable example of Rachmaninoff's contrapuntal mastery in the *fugato* middle section.

With its soaring melodies, the *Adagio* is justly celebrated as one of Rachmaninoff's finest expressions of lyrical passion, with a notably nostalgic clarinet solo. The *finale* contrasts rhythm and melody: its first subject is a festive, dance-like idea of tremendous vitality, and the second subject is a huge, aspiring melody bigger even than the themes of the *Adagio*. The development features a very Russian evocation of church bells, and culminates in a grand expansion of the second subject, before ending with the hectic vitality of the coda.

Malcolm MacDonald

Préface

Il est possible que Rachmaninoff ait commencé à travailler à sa Deuxième Symphonie dès 1902, mais ce n'est qu'en 1906-7, alors qu'il habitait à Dresde, qu'il en fit une esquisse complète. L'orchestration fut complétée juste avant qu'il ne dirige la première à St. Pétersbourg le 26 janvier 1908. La nouvelle symphonie, dédiée à son maître Taneyev, remporta un tel succès avec les auditeurs comme avec les critiques.

La Symphonie no. 2 qui est follement passionnée, à la fois lyrique dans son expression et épique par ses proportions, est depuis longtemps une des oeuvres les plus jouées de Rachmaninoff. Les longues mélodies harmonisées avec chaleur sont opulentes sans être de mauvais goût ; les déploiements passionnés de la symphonie sont compensés par les rythmes dynamiques qui leur donnent de la tension et de l'urgence. L'oeuvre est longue, elle dure plus d'une heure et c'est à contre-coeur que Rachmaninoff accepta de nombreuses suppressions dans sa partition. La symphonie fut jouée en concert sous cette forme jusqu'au milieu des années 1960. Aujourd'hui, cependant, le public des salles de concert est plus accoutumé à la longueur d'oeuvres telles que celles de Mahler et de Bruckner et écoute sans difficulté la symphonie de Rachmaninoff dans sa totalité.

Comme dans ses autres symphonies, le motif de l'ouverture de la deuxième symphonie est la source de la plupart des principales idées de l'oeuvre. Le rapport entre les mouvements est obtenu en grande partie par la similarité des contours partagés par un grand nombre des thèmes importants. Ils semblent s'apparenter à l'ancien chant du *Dies irae*, une mélodie qui hantera Rachmaninoff toute sa vie, mais qu'il utilisera rarement d'une manière aussi subtile. Après son introduction lente et rêveuse, le colossal premier mouvement prend la forme d'un *Allegro* de sonate. Une place de premier plan est accordée à son deuxième sujet romantique. Rachmaninoff l'omet dans le développement mais l'étend amplement au cours de la réexposition. Le vigoureux deuxième mouvement contient l'orchestration la plus variée et la plus ingénieuse de la symphonie, et la partie centrale du *fugato* est un bon exemple de la maîtrise du contrepoint de Rachmaninoff.

Avec l'envolée de ses mélodies, l'*Adagio* est avec justesse considéré comme l'une des plus belles expressions de la passion lyrique, le solo de la clarinette est clairement nostalgique. Le final met en contraste le rythme et la mélodie : son premier sujet est la fête, une idée de danse d'une vitalité intense, et le deuxième sujet est une vaste et sublime mélodie, plus importante encore que les thèmes de l'*Adagio*. Le développement donne une évocation très russe des cloches d'église et atteint son apogée dans une expansion grandiose du deuxième sujet avant de se terminer avec la vitalité intense de la coda.

Malcolm MacDonald

Vorwort

Rachmaninoff hat möglicherweise bereits zu Beginn des Jahres 1902 mit der Arbeit an seiner zweiten Symphonie begonnen, das Werk aber erst 1906-7, während seines Dresdener Aufenthaltes, vollständig niedergeschrieben. Die Orchestrierung wurde erst kurz vor der Uraufführung am 26. Januar 1908 in St Petersburg, die er selbst dirigierte, abgeschlossen. Die neue Symphonie, die er seinem Lehrer Taneyev widmete, war bei Publikum und Kritik ein erfreulicher Erfolg.

Die vollblütige Leidenschaft der Zweiten Symphonie mit ihrem lyrischen Ausdruck und ihrer epischen Skala hat dieses Werk Rachmaninoffs zu einem seiner beliebtesten gemacht. Die langen, sanft-harmonisierenden Melodien sind opulent, aber nicht überladen; die Darstellungen der Leidenschaft werden durch dynamische Rhythmen ausgeglichen, die der Symphonie Spannung und Dringlichkeit verleihen. Mit mehr als einer Stunde ist das Werk lang, und Rachmaninoff genehmigte nur unter Protest zahlreiche Partiturkürzungen, die bis weit in die sechziger Jahre beibehalten wurden. Das heutige Publikum, das eher an den Zeitrahmen von Mahler- und Brucknerwerken gewöhnt ist, hört allerdings Rachmaninoffs Symphonie in ihrer vollständigen Fassung.

Wie seine anderen Symphonien beginnt auch Nr. 2 mit einem Hauptthema, aus dem sich die meisten grundlegenden Ideen des Werkes entwickeln. Die Beziehung zwischen den Sätzen wird größtenteils durch die Ähnlichkeit der Kontur erreicht, die vielen der wichtigen Themen gemeinsam ist. Sie erinnern an den alten Gesang des *Dies irae*, einer Melodie, die Rachmaninoff Zeit seines Lebens verfolgte, die er aber selten derart subtil einsetzte. Nach einer langsam heraufziehenden Einleitung entfaltet sich der erste Satz zu einem sonatenähnlichen *Allegro.* Das romantische zweite Thema wird besonders herausgestellt - Rachmaninoff läßt es im Einleitungsteil aus, räumt ihm aber in der Reprise sehr großen Raum ein. Der heftige zweite Satz enthält die wechselvollste und einfallsreichste Orchestrierung der Symphonie und ist somit ein bemerkenswertes Beispiel für Rachmaninoffs kontrapunktische Meisterschaft im mittleren *fugato*-Teil.

Mit seinen erhabenen Melodien wird das *Adagio* zu recht als eine der feinfühligsten Ausdrucksformen lyrischer Leidenschaft bei Rachmaninoff gepriesen, was vor allem für das bemerkenswert nostalgische Klarinettensolo gilt. Im *Finale* kontrastieren Rhythmus und Melodie: das erste Thema ist eine festliche, tänzerische Idee von unglaublicher Vitalität, das zweite Thema ist eine riesige, sehnsüchtige Melodie, die noch größer als die Themen des *Adagio* ist. Mit der Beschwörung der Kirchenglocken präsentiert die Einleitung ein sehr russisches Thema und steigert sich in einer großartigen Ausweitung des zweiten Themas, bevor es mit der hektischen Vitalität der Coda endet.

Malcolm MacDonald

Instrumentation

3 Flutes (3rd doubling Piccolo)
3 Oboes (3rd doubling Cor Anglais)
2 Clarinets in A and B♭
Bass Clarinet in A and B♭
2 Bassoons
4 Horns in E and F
3 Trumpets in A and B♭
3 Trombones
Tuba
Timpani
★Percussion
Strings

★Glockenspiel, Side Drum, Bass Drum, Cymbals

Duration: 55 minutes

Dedicated to S. Taneyev

SYMPHONY № 2

I

S. RACHMANINOV
Op. 27

B. & H. 19577

6

14

B. & H. 19577

B. & H. 19577

Timp. muta Fis in G, G in B

66

B.&H. 19577

19 poco a poco calando e rit.

II

114

B.& H. 19577

B. & H. 19577

B. & H. 19577

Tempo I

Con moto

159

B.&H. 19577

B. & H. 19577

B. & H. 19577

B. & H. 19577

III

B. & H. 19577

IV

B.& H. 19577

B. & H. **19577**

B. & H. 19577

B. & H. 19577

259

B. & H. 19577

B. & H. 19577

268

B.& H. 19577

B. & H. 19577

B.& H. 19577

B.& H. 19577

84
Picc.
Fl.I.II
a2
ff
I
Ob.
II.III
a2
Cl.
Cl.b.
Fag.
Cor.
III
Tr-be
I.II
III
Tr-ni
e
Tuba
P-tti
Cassa
Camp-lli
f
Archi
unis.
div.

B. & H. 19577

B. & H. 19577

B. & H. 19577

B. & H. 19577

Halstan & Co. Ltd., Amersham, Bucks.

DATE DUE